Edition Schott

Max Bruch

1838 – 1920

Romanze

für Viola und Orchester
for Viola and Orchestra

opus 85

Klavierauszug / Piano Reduction

VAB 6
ISMN 979-0-001-10202-5

www.schott-music.com

Mainz · London · Berlin · Madrid · New York · Paris · Prague · Tokyo · Toronto

Herrn Maurice Vieux

Solobratschisten der Großen Oper
und der Conservatoire-Concerte in Paris
zugeeignet

Romanze

Max Bruch
opus 85

B
Solo
Viol.
espress.
f
fp
p
pp
cresc.
sfz
Bl.
espress.

C
(♩ = 72)
espress.
p
pp
f
sfz
Solo
Clar.
cresc.
mf

sempre f
Clar.
espress.
cresc.
Fag.
D
f
morendo
Hörner
pp
Solo
a tempo
p
mf
Viol.
pp a tempo
l.H.
cresc.
sempre pp
f
sfz
Bl.
ten.
ten.
E
cresc..
Viol.II
V.I.
pp

Viola

Romanze

Max Bruch
opus 85

Printed in Germany

Solo
Clar. in B
cresc.
sempre
Tutti
D
Vl.I
decresc.
p morendo
pp
un poco rit.
a tempo
Hör.
Solo
cresc.
sfz
E
cresc.

Un poco stringendo
sfz
F
sempre f
ff
rit.
Tempo I ♩ = 69
espress.
poco rit.
p
cresc.

G
a tempo
espress.
cresc.
f
Tutti
Vl.I
cresc.
f
C-B
sfz
Solo
f
cresc.
f
H ♩= 72
Vl.I
Tutti
p
Solo
Tutti
Solo
f
p
cresc.
f
espress.
Tutti
Cl.
Solo
f
p
I ♩= 69
Tutti
Fag.
Vl.I
pp
Solo
cresc.
f
espress.
espress.
p
cresc.
p
cresc.
p
rit.
morendo
pp

Un poco stringendo
sfz
sfz
sfz
sfz
sfz
p
F
sempre f
pp trem.
ff
fp
sempre p
Bl.
Fag.
sf
sfp
pp
Fag.
espress.
sfz
rit.
rit.
Tempo I. ♩= 69
espress.
p
Bl.
dolce
p
cresc.
un poco rit.
Ob.
un poco rit.
pp

G
a tempo
espress.
cresc.
Ob.
sempre p
pp
Celli
tranquillo
Bl.
cresc.
Viol.
Celli
f
espr.
Solo
f
p
sfz
p
pp

cresc.
Ob.
cresc.
f
espr.
Clar.
p
Viol.
decresc. e dim.
pp
p
H
♩= 72
Hörner
espress.
f
Solo
mf
pp
Solo
f
sfz
p
p
cresc.
cresc.
f
espress.
Fag.

Tutti
Clar.
Solo
Clar.
pp
I
♩ = 69
p
pp
Fag.
Tutti
Viol.
Solo
cresc.
f
espress.
p
espress.
Bl.
p
cresc.
dolce
pp
rit.
morendo
pp
Viol.
pp rit.